Gallimard Jeunesse / Giboulées sous la direction de Colline Faure-Poirée

© Éditions Gallimard, 1994
Premier dépôt légal: avril 1994
Dépôt légal: février 2008
Numéro d'édition: 158493
ISBN : 978-2-07-058438-3
Loi n°49956 du 16 juillet 1949
sur les publications destinées à la jeunesse
Imprimé et relié en France par Qualibris/Kapp

Chloé l'Araignée

Antoon Krings

GALLIMARD JEUNESSE / GiBOULÉES

Il était une fois une petite araignée, noire et velue à souhait, qui s'appelait Chloé. Elle habitait une maison de poupée sous les combles d'une vieille demeure, dans un endroit très sombre et très poussiéreux, où jamais personne n'entrait.

Ainsi, du vaste monde, Chloé ne connaissait que ce grenier et le peu de chose qui s'y trouvait : une malle en osier, quelques livres du temps passé, une boîte à papillons qui lui servait de garde-manger, et une poupée appelée Bébé, pour qui elle brodait des cols en dentelles.

Or, un jour, pendant qu'elle tissait
aux fenêtres de sa maison des rideaux
de soie, une souris vint à passer.
– Si tu me donnes un peu de ton fil,
je te dirai comment trouver un
jardin où les papillons sont tendres
à croquer.
Aussitôt dit, aussitôt fait.

Comme Chloé en avait assez d'habiller le gros Bébé, assez de grignoter des ailes de papillon desséchées, elle prit son fil et ses aiguilles, et s'en alla trouver un autre logis. Ainsi font les petites araignées quand elles en ont assez.

Après un long voyage, elle arriva enfin dans le jardin fleuri.

– Oh! Quel parfum délicieux!

Chloé sauta de plaisir, et joua parmi les fleurs dans le soleil. Suspendue à son fil, elle glissa jusqu'à l'arbre à papillons. Prenant appui sur deux brindilles, elle tissa une toile très serrée.

Mais une fois son ouvrage terminé, un furieux coup de vent secoua les arbres du jardin, et emporta notre araignée qui poussa un petit cri, moitié de colère, moitié de frayeur.

Elle vola un moment, puis retomba plus loin, toute décoiffée, aux portes d'un palais. Par le trou de la serrure, elle pénétra dans une salle brillamment éclairée et richement décorée.

Devant tant de beauté, Chloé se dit
qu'il fallait qu'elle aussi embellisse
ce salon de la plus belle de ses toiles,
et elle se mit aussitôt au travail.

Mais, son ouvrage terminé, quelqu'un cria : « Quelle horreur ! Enlevez-moi tout de suite cette saleté ! » Un méchant coup de balai emporta toile et araignée.

« Non, non, ça suffit ! J'en ai assez
d'être chassée ! Au diable les courants
d'air ! Au diable les coups de balai !
s'exclama-t-elle. Plus jamais je
n'écouterai une souris. »
Et elle s'en fut en toute hâte.

Voilà comment se termine cette histoire. Notre araignée retrouva enfin avec plaisir son grenier poussiéreux, sa maison de poupée et Bébé qui l'attendait. Si vous ne passez pas en courant d'air, un balai à la main, vous pourrez toujours aller voir Chloé. Peut-être tissera-t-elle un petit col pour votre poupée ou bien un petit nœud pour votre ours. Qui sait?